HARTSTEEN

Ina Vandewijer

Hartsteen

A F I J N
uitgeverij

Voor Remy Volders, die kraaien leerde praten

STICHTING NEDERLANDSE
KINDERJURY
2003

Ina Vandewijer
Hartsteen

© 2002 Uitgeverij Afijn, een imprint van Uitgeverij Clavis,
Amsterdam – Hasselt
Omslagillustratie: Marijke Meersman
D/2002/9423/25
ISBN 90 5933 023 4
NUR 284

2002

WODANS DAG: WOENSDAG

F

'Freya!'

Freya schrok wakker. Haar moeder stond over haar slaapbank gebogen.

'Heb ik geroepen?' vroeg Freya ongerust.

'Nee,' schudde Frigga het hoofd, 'je hapte naar lucht.'

Freya knikte. Ze herinnerde zich waar ze in haar droom was geweest. Ze herinnerde zich niet wat er precies gebeurd was, maar wist wel wat ze ondertussen in haar lichaam voelde.

'Ik zag mezelf … Een schildvrouw,' mompelde ze tegen haar moeder. 'Ik was dapper, want het schild beschermde me. Ik was bang en het schild beschermde me. Ik keek over het schild heen, maar zag geen hordes vijandige vikingen, geen moordlustige berserkers en geen draak. Ik zag alleen gewone mensen voor me. Ze droegen allemaal dezelfde kleren. Ze pootten jonge plantjes. Ik zag dat het goede mensen waren. Ik zag het in hun ogen als ze naar me keken. En ik wilde dat ook zij zagen dat ik een van hen was. Dat ik goed was. Ik voelde me zo, warm en lief. Ik wilde het schild van me af gooien, want het werd veel te

7

zwaar. Maar ik kon het niet loslaten, hoe ik ook probeerde. Ik huilde van boosheid en wanhoop. Ik wilde zo graag naar hen toe. Ik strompelde naar de andere kant, met mist in mijn ogen. Ik wilde me laten vallen in de armen van de mensen met hun glimlach van honing. En toen viel ik tussen hun handen door. Door donker kolkend water gleed ik, in het meer naast de bron Urd. De bron van de drie Nornen aan de wortels van de levensboom Yggdrasil. Daar zaten ze alledrie naast elkaar te spinnen. De oude Urd praatte fluisterend terwijl ze spon. Ze praatte als een grootmoeder tegen haar pasgeboren kleinzoon. Ze vertelde over haar leven en over het zijne. Verdandi zat in het midden. Ze kon tegelijk alle kanten op kijken zoals een kind naar haar moeder, de oude Urd naast haar, en zoals een moeder naar haar kind kijkt. De jongste van de drie, Skuld, was nog maar een meisje. De wijsheid van haar moeder woog als een loden kap op haar schouders. Ik voelde medelijden met Skuld, modir.'

Freya keek op naar haar moeder. Haar stem trilde. 'Ze zat zo hoopvol met die grote blauwe ogen voor zich uit te staren. Ze zweeg en glimlachte. Ik voelde haar verdriet. Het stroomde uit mijn ogen. Ik verdronk in een draaikolk van verdriet. Ik schaamde me, slikte, stikte. Door het zoute water kon ik niets zien. En toen zag ik jou, modir.' Freya keek naar haar moeder. Het liefst zou ze willen huilen. De beelden waren angstwekkend echt geweest. Maar huilen deed ze niet. Een vikingvrouw huilt nooit.

Frigga glimlachte sussend.

'Het is een goede droom, Freya.'

'Maar ik ben verdronken, modir! Ik kwam bijna bij de godin Hel.'

'Je bent opnieuw geboren, Freya. En dat betekent dat de Ting van Walpurgis straks nieuwe veranderingen brengt. Goede veranderingen. Vergeet niet dat je bij de bron Urd bent geweest, en die ligt in Asgard, het rijk van de goden.'

Freya was niet meer in Asgard, niet meer in Nifelheim bij de godin Hel. Ze lag op haar bank, thuis, in het langhuis van Thorolf en Frigga, haar ouders.

Ze keek om zich heen. De gloeiende kolen van het ronde haardvuur wierpen een flauw licht op de slapende gestalten op de ligbanken. Ja, de Ting, het Geding van Walpurgis. Alle Noormannenclans uit de buurt zouden op de Ting samenkomen, met vrouwen en kinderen. De Ting werd dit jaar in hun havendorp gehouden. En verder was er de markt, die drie dagen zou duren, met als hoogtepunt het Walpurgisfeest op Frigga's dag. En die bonte markt begon vanavond al, als Wodans dag begon.

'Ik maak de slavinnen wakker. Het worden dagen waarop we handen en ogen te kort komen,' zei Frigga.

Plots klonk een hoge galm. De gong van de uitkijkpost. Een nieuwe clan vikingen voer met hun drakars de kleine haven binnen.

9

Freya liet zich weer op haar schapenvacht vallen en zuchtte. Aan haar hoofdeinde lagen de grote voeten van haar broer Yvar Thorolfson. Een jaarwende jonger dan zij. Freya wist dat Yvar erg opgewonden was over de Ting en Walpurgisnacht. Vooral over de wedstrijden die gehouden zouden worden. Yvar wilde zich meten met de anderen. En indruk maken op de meisjes van de andere clans, dacht Freya.

Voor Freya bracht de Ting alleen veel mensen. Veel drukte en weinig ademruimte. Juist dan wilde Freya vaak alleen zijn met haar eigen wereld. Dat kon niet met zoveel mensen. Tenzij …

Ik probeer ongezien te ontsnappen naar mijn vogelrots, dacht Freya. Fijn niet doen wat van mij verwacht wordt. Kanna's met mede en bier rondbrengen, bah. Toekijken hoe mijn broer zich opblaast bij de sportwedstrijden en nog wint ook. Fadir en modir zullen heel trots zijn op hun zoon Yvar Thorolfson. Niet op mij, hun dochter, Freya Thorolfsdottar.

Freya dacht weer aan haar droom, aan het meisje Skuld.

De mannen en de vrouwen werden wakker. Freya zag hoe haar vader, helemaal aangekleed, met zijn zwaard aan zijn heup naar buiten beende. Haar vader was de jarl, het clanhoofd, Thorolf de Krachtige.

Yvar kreunde. Te veel gegiste mede gedronken, dacht Freya.

Ze pakte de melkemmer mee die naast de kist met etenskommen stond en liep snel achter haar vader aan. Tegen het vroege ochtendlicht zag ze zijn scherpe silhouet. Thorolf stond met zijn rug naar haar toe. Zijn ogen volgden de drakenschepen die aanlegden. De dorpelingen liepen af en aan om ze binnen te halen. Thorolf keek op naar de lucht.

Kijkt hij naar de vlucht van de zeevogels? vroeg Freya zich af. Luistert hij naar de nieuwtjes die de vogels uitroepen nog voor de scheepslui ze kunnen vertellen? Speurt hij in de verte naar de kraaien van Wodan? De kraaien die aan hun god vertellen wat zich hier in Midgard, op aarde, afspeelt? Goede berichten? Slechte berichten?

Thorolf haalde diep adem en liep naar de pieren. Freya koos de kant van de koestallen naast de weiden. Toen zag ze een vrouwenfiguur snel achter een stal verdwijnen. Een van de slavinnen? Zou ze van de mannenslaven komen? Freya lachte stilletjes. Het zouden vreemde dagen worden, dat voelde ze nu al. Iedereen gedroeg zich vrijmoediger. De roes van de komende Walpurgisnacht, wanneer alles mocht?

Freya zag nauwelijks iets in de donkere stal. Ze snoof de warme dampen van de koeien op en hoorde het gesnuif en het gestamp van hun hoeven. Freya voelde de beestenlijven om haar heen. Ze zag Lianne, de slavin van haar moeder, die een koe zat te melken. Lianne was de enige

11

slavin in de stallen. Nog voor Freya haar iets kon vragen over wat ze gezien had, kwamen de andere melkmeisjes binnen. Freya ging zitten bij de koe naast die van Lianne. Vermeed de slavin het naar haar te kijken? Lianne was een jaar of zes ouder dan Freya. Een lange, taaie jonge vrouw met lange haren en hoge jukbeenderen. Haar bewegingen waren gracieus, net zoals die van Freya's modir Frigga. Freya wilde later ook zo kunnen lopen. Hoewel, ze vond het niet prettig als de mannen naar Lianne keken. En ze werd woest als ze in haar billen knepen. Lianne lachte dan alleen maar. Ze is een slavin, Freya, dwong Freya zichzelf te denken. Maar de mooie Lianne was niet hun slavin. Meteen dacht Freya weer aan haar droom.

Melk vulde intussen haar emmer. Ze liep de stal weer uit.

Op weg naar haar langhuis ving Freya de geur op van broden die gebakken werden, vermengd met de geuren die de zeewind over de baai blies. De geur van ladingen vis en vee die van de drakenschepen gelost werden. De geur van hars en hout van de scheepswerf. Ik heb honger, dacht Freya. En ze verlangde naar de smaak van plat boekweitbrood, dampend in haar handen. Net voor ze het rokerige langhuis binnenliep, hoorde ze een geluid boven alles uit. Ze keek achterom en zag een blauwzwarte kraai over het slavenhuis scheren. Had hij haar naam geroepen, of beeldde ze zich dat in?

12

Haar moeder was er niet. Slavinnen draaiden de boek-weitbroden om op de hete bakplaat boven de haard. Freya pakte een brood uit de mand en sloop ermee naar buiten. Ze kon niet snel genoeg bij haar vogelrots zijn. Bij de eenden, de meeuwen en de eenzame havik.

Freya keek toe hoe de golven haar voeten likten. En weer terugtrokken. Het water ruiste over de meegevoerde keien. De aanstormende golven deden denken aan de wuivende manen van wilde paarden op het strand. Het terugtrekkende water schuurde over de rolstenen en liet ze over elkaar buitelen. Geroffel van vingers op trommels. Het antwoord dat de keien aan de zee gaven, klonk als een lied.

Freya zonder woorden,
Freya, Freya, Freya,
dein met ons mee.

Er kwam een nieuwe golf aanzetten. Nu spoelde het schuim over haar leren laarzen.

De meeuwen cirkelden boven haar, om de vogelrots. Freya spreidde haar armen in de lucht. Kon ze maar één worden met de lucht, het land en het water.

Freya haalde diep adem. Ze proefde zout op haar lippen.

Jammer, dacht ze, ik moet weer naar het dorp. De vloed komt op. Straks is het strand tot aan de rots gevuld met

zee. En dan is er geen weg terug. Ik kan dan wel zwemmen, maar dat is te gevaarlijk bij deze branding.

Freya pakte één van de miljoenen rolstenen op. Een
goede, om te bewaren. Elke kei draagt een herinnering in
zich. Volgens Frigga waren keien dwergen, versteend bij
het eerste zonlicht. Waarschijnlijk omdat de kleuren van
de dageraad hen zo verwonderden. Deze plek was een
goede plek. De rolsteen in haar hand barstte van de herin-
neringen aan de zee. Freya zou het lied van de zee horen,
telkens als ze de kei oppakte.

Ze verzamelde het zeewier dat ze gesneden had. Modir
hield van zeewier in de vissoep.

Freya besloot terug te keren naar het dorp. Voorzichtig
zette ze haar voeten op de grotere rotsblokken. Ze wilde
haar evenwicht niet verliezen. Toen schrok ze. Een rotsscherf viel achter haar in het water. Ze draaide zich met
een ruk om en keek omhoog. Ze zag een glimp van een
hoofd boven de klip. Zwart haar? Dan was het geen hoog-
blonde viking. Een Frank dan? Zo dicht bij haar dorp?

Twee zwarte kraaien cirkelden om de plaats waar ze de
gestalte gezien had. De kraaien kende Freya. Ze handhaaf-
den zich tussen de meeuwen en de albatrossen. Zwarte
landvogels te midden van de witte vogels van de zee.

Freya wilde naar boven. Maar eerst moest ze naar het
dorp. Ze vertrok met tegenzin.

In de verte zag ze de mannen over de houten steigers af en aan lopen om de drakenschepen te lossen. Ze letten niet op haar. Maar op de heuvel bij het dorp zag ze haar moeder Frigga staan. Frigga was de zienster van het dorp. Ze bezat de gave. Net als Freya behoorde Frigga tot de sprakelozen. Frigga zei weinig en het weinige dat ze zei, bracht geluk. Geluk bij de visvangst, bij geboortes en huwelijken, zelfs bij de dood. Frigga voorzag de dingen door naar de blauwe luchten in de verte te kijken. Misschien kon Frigga ook het noodlot in de toekomst zien, maar daarover sprak ze nooit. 'Je kunt de toekomst niet veranderen. Wat moet gebeuren, gebeurt ook,' zei Frigga.

Freya's moeder kende ook de geheime taal van de runen. In de runen zitten alle geheimen, beweerde ze. En ze had haar dochter het geheimschrift geleerd. Maar Freya was nog lang niet zover dat ze de runen doorgrondde als haar moeder.

Freya vertrouwde haar eigen stem nog niet. De woorden zaten vast in haar keel. Freya streelde zacht haar steen.

'Freya!' hoorde ze een bulderende stem.

Ze draaide zich om. Dat kon niemand anders dan haar vader Thorolf zijn. Thorolf Donderstem. Wat Freya en haar moeder aan stem te kort kwamen, had Thorolf in overvloed.

Zuchtend liep Freya naar de steiger. Haar vader kwam naar haar toe.

'Freya, je moeder zoekt je. Je had kunnen zeggen dat je naar de grot onder de vogelrots ging.'

Freya zweeg en keek naar hem op.

'En waarom?'

'Waarom wat?' vroeg Thorolf geërgerd. Hij had nu wel andere dingen aan zijn hoofd. Hij wilde naar de zee met haar uitdagingen en haar wispelturige karakter. Hij wilde vissen met de andere mannen. De zee op om weer de opwinding van vroeger te voelen en verhalen uit te wisselen met zijn gasten. Om na te denken over de Ting die hij zou voorzitten.

'Waarom zoekt modir mij?'

'Weet ik veel wat vrouwen elkaar allemaal te vertellen hebben! Ga, Freya.'

Thorolf dreunde een paar bevelen naar de andere zeelieden. Hij hield zich niet bezig met vrouwenzaken.

Freya liet de geur van de boten achter zich. Haar moeder zag ze niet meer op de heuvel. Zou ze het wagen om stiekem naar de vogelrots te gaan, zonder eerst naar huis terug te keren? Maar dan moest ze voorbij de palissade om het dorp. Iemand zou haar zien, zeker nu er zoveel mensen in haar dorp rondliepen. En natuurlijk kende iedereen haar, ze was immers de dochter van Frigga en Thorolf. Iedereen zou haar zien! En dan zwaaide er wat. Dan toch maar eerst naar huis …

Hun langhuis stond in het midden van het dorp. Eerst moest ze om de slavenkraal heen lopen. Daar woonden de Frankische slaven die voor het dorp werkten. De Noormannen hadden hen jaren geleden uit de dorpjes in het binnenland geroofd. Tenminste, die inlanders die weerstand hadden geboden toen de eerste Noormannen hun vee kwamen stelen. De slaven spraken een andere taal en kenden maar één god. En ze waren bang. Noormannen kenden geen angst. Wie een klein hart had, verloor in de strijd, of van de zee. Verloor zijn leven en kwam bij Hel terecht, de Rottende Godin. Alleen de dapperen mochten bij Wodan wonen, in het Walhalla. Zo was het en niet anders.

'Freya, er is een beer in het dorp!' Yvar Thorolfson kwam als een jong veulen naar haar toe lopen. Gunnulf, een van zijn vrienden, liep achter hem aan.

'Echt?'

'Ja, echt, meegebracht op een van de schepen. Kom kijken.'

'Even maar, ik moet modir helpen.'

'En ik help de tenten opslaan met de mannen,' pochte Yvar. 'Zo hoor ik de verhalen uit Noormannenland ook.'

'Welke verhalen heb je dan al gehoord?' vroeg Freya ongeïnteresseerd.

Haar dorp werd langzamerhand onherkenbaar. Veel gezichten waarbij geen naam hoorde. Over de hellingen kwamen nieuwe clans aan met paarden en schapen, zelfs met ganzen. In het dorp werd vertrouwde en vreemde koopwaar in kramen uitgestald. De smid had het druk. Wapens moesten geslepen worden voor de wedstrijden. Bij de hoorn- en geweienbewerker stroomden de jonge mannen samen. De meisjes waren vast bij de kralenman, vermoedde Freya. De beste zeevaarders waren op zoek naar nog betere meetinstrumenten voor hun schepen of naar een zonnesteen, die de richting van de zon achter de wolken kon volgen.

Op de grond tussen de menigte zat een oude vrouw. Ze had leren buikriemen voor zich neergelegd. Ze neuriede, gebogen over een riem. Met een mes kerfde ze symbolische tekens in het leer. Runen, zag Freya. De vrouw was een ingewijde. Ze schreef magische spreuken op haar riemen.

'Je luistert niet,' trok Yvar aan haar arm.

'O ja, de beer,' herinnerde Freya zich.

'Ik had het niet over de beer. Ik had het over de wedstrijden.'

'O ja, de wedstrijden,' zuchtte Freya.

En daar zag ze de beer al. Hij hing aan twee touwen vast tussen twee dikke palen, met een leren muilkorf om zijn snoet. Hij kroop onrustig rond en probeerde zich los te rukken. Freya keek naar zijn pientere zwarte ogen. De beer stopte met heen en weer lopen en keek haar aan. Freya geloofde dat hij haar herkende, zo zochten zijn ogen de hare.

En weer had Freya het gevoel dat ze haar naam hoorde, in het zachte gegrom van de beer deze keer. Wat had ze toch?

'Freya?'

Freya schrok op. Het was Lianne. Ze wenkte haar met haar hand.

'Ik kom,' riep Freya en ze keek om. De beer stond daar maar roerloos en met opgeheven hoofd naar haar te kijken en het was alsof in zijn ogen een vraag brandde.

Waarom altijd zij en niet Yvar? Yvar en Gunnulf mochten lekker doen waar ze zin in hadden.

Freya stopte bij de deurpost. Ze liet haar ogen even wennen aan het donker binnen, zoals altijd wanneer ze van de zee kwam met het licht van de oneindige luchten in haar ogen.

Binnen liep Freya meteen naar de grootste ruimte. Haar moeder maakte vishutspot klaar in de grote ijzeren ketel boven het haardvuur. Lianne spon op een bank. Gelukkig waren de vrouwen die net aangekomen waren hun langhuis nog niet binnengevallen. Het bleef voorlopig rustig. De stilte voor de storm.

Moeder glimlacht, dacht Freya. Zij weet het ook.

'Modir Frigga,' zei Freya aarzelend.

'Je was bij de kreek onder de vogelrots,' begon haar moeder. 'Heb je maar één steen meegebracht?'

Hoe wist modir dat ze maar één rolsteen meegenomen had? Ach, modir zag alles. Soms had Freya het gevoel dat ze door haar heen keek. Niet zo'n aangename gedachte, want soms was ze vol van beelden en woorden die ze met niemand wilde delen. Zou haar modir die taal in haar hoofd lezen zoals ze de runen las?

'Laat je me die kei nog zien vandaag?' drong haar moeder aan. 'Straks is er misschien geen tijd meer.'

Lianne, de slavin, liet haar werk rusten. Ook zij was benieuwd.

Freya haalde de steen uit de buidel onder haar tuniek.

'Mooi,' knikte haar moeder goedkeurend. 'Bijna de vorm van twee mensen samen.'

Freya trok rimpels in haar gezicht. Wat zág modir? Twee mensen? In die steen?

'Laat zien,' zei Freya terwijl ze haar hand openhield.

Bij Wodan, modir had gelijk! De steen had inderdaad wat weg van twee mensen. Tenminste, van twee hoofden. Maar in Freya's ogen had de steen vooral de vorm van een hart.

Freya bloosde. Lianne lachte. En modir sprak traag.

'Tja, Freya, je bent nu een maagd van de maan, nu je voor het eerst gebloed hebt. En had je niet nog een rune nodig voor je stenen? Dit is een prima kei voor de rune Mannaz. Denk je niet?'

Maar Freya had nu geen zin in runen. Ze wilde naar buiten, waar de meeuwen krijsten boven de vogelrots. Naar de kraaien. En ze wilde weten of ze zich die gestalte op de klip had ingebeeld. Ze was opgewonden. Ze wilde weg.

Maar niets van dat alles. Eerst moest en zou ze luisteren naar de geheime betekenis van de rune Mannaz. Zo ging het altijd bij haar moeder.

'Mannaz is het symbool voor de mensen, zowel de wapenmensen als de weefmensen. Wapenmensen zijn de mannen met hun wapens. Weefmensen zijn de vrouwen, die een leven weven. Het teken geldt voor alle mensen: zij die zijn, zij die geweest zijn en zij die nog zullen komen.

Mensen zijn afhankelijk van elkaar, van de dieren en van de natuur. De mensen zijn altijd verbonden met de diepere betekenis die alle leven bindt. Alles werkt samen, en ook wij mensen moeten samenwerken. Mannaz is een mooie rune, Freya. De rune van een man en een vrouw, van een jongen en een meisje.'

'Jaja,' bloosde Freya. Haar moeder bedoelde waarschijnlijk dat ze tijdens de Walpurgisfeesten mocht uitkijken naar een vrijer. Alsof Freya geïnteresseerd was in die pochers! De oudere jongens beschouwden haar als een meisje dat voorbestemd was om een getrouwde vikingvrouw te worden, en niet als de jongen die ze wilde zijn. Jongens als Yvar en Gunnulf vond ze maar dom. Als jongen zou ze mee mogen op de drakenschepen. Of meevechten in de kampwedstrijden. Of dobbelen met de spelborden.

'Geen van de clanmannen is mij waardig,' zei ze trots. 'En dat weet je ook, modir.'

'Freya, de dochter van Thorolf, wil een vorst zoals haar vader,' grapte Lianne.

Lianne had gelijk. Freya wilde een sterke kerel zoals haar vader en geen flauwe, onbehaarde knul.

'Modir, ik wil eieren rapen op de vogelrots.'

Haar moeder keek haar onderzoekend aan. 'Straks begint Wodans dag.'

'Ik heb geen zin om naar de wedstrijden te kijken,' legde Freya uit. 'En de Ting begint toch pas morgen, als iedereen er is.'

'Voor avondtijd terug, tegelijk met de schepen,' zei haar moeder streng.

Oef, ze was net ontsnapt aan het verhaal van Heimdall, de hemelgod die alles overzag en zichzelf veranderde in Tyw, de dwaler. Hij die drie huizen had bezocht om bij de mensen volkeren te maken. Tyw, naar wie de dag van vandaag genoemd was. Freya vergat de rest van het verhaal.

Ze stopte de kei weer onder haar kleren. Zonder hem eerst bij de andere keien te leggen. Ze griste een mand mee en repte zich aan de andere kant van het langhuis de deur uit. Voor avondtijd terug, dat was snel. Maar ze kon toch weer even weg uit het dorp.

Achter de palissade lagen de velden. Daar moest ze door om bij de hoogweiden met de schapen te komen. En vandaar door het bos naar de vlakte van de vogelrots. Gelukkig was ze de steile klim door het bos met zijn eiken en zijn sterk geurende taxusbomen gewend. Achter het bos lag de vogelrots. Deze kant koos ze altijd om alleen te kunnen zijn. Er was niemand op de vlakte van de vogelrots; het was te moeilijk om de schapen door het bos te leiden. De bruikbare weiden lagen aan de andere kant van de baai, waar het vlakker was.

Freya's hart klopte in haar borst toen ze door het bos rende. Ze rende als een hert en luisterde naar het ritme van haar passen. Het bracht haar in een vreemde stemming. Er was alleen haar lichaam om naar te luisteren. De stemmen in haar hoofd verstomden. Ze hoorde geen vogels opvliegen, geen wild wegdraven. Ze gaf zich helemaal over aan het krachtige lied van haar lichaam.

Loop, Freya, loop,
volg het spoor,
vind je stem,
loop, Freya, loop.

Freya hoorde nu de wind tussen de bomen, de veengrond die zoog onder haar voeten. En voor zich zag ze het licht, het stille, wachtende licht van de groene vlakte.

Ze was er. Ze bleef even staan aan de rand van het bos, aan het begin van de vlakte, hijgend.

Freya genoot van het blauw in de verte. Het blauw van de oceaan en het blauw van de lucht vloeiden in elkaar over. Was er geen oceaan en geen lucht? Alleen maar blauw? Het maakte haar blij en sprakeloos triest, dat alles zo wonderlijk, zo groots was. Het schroefde haar keel dicht. Dan kon ze niet praten. Dan moest ze wachten tot haar lichaam weer haar lichaam werd.

Ze zag het koppel kraaien rondvliegen. Daar was de plek die ze zocht. Freya liep erheen. Toen ze dichter bij de rand van het klif kwam, zag ze de jongen tussen het hoge gras. En de kraai op zijn schouder. Freya schrok. Een inlander, een Frank. Hij had haar gezien. Had hij op haar gewacht? Had hij wapens bij zich? Waren er nog andere Franken in de buurt? Bij Wodan, dan was ze verloren! Freya versteende, bleef staan waar ze stond. Ze voelde geen angst. Ze voelde kou.

De jongen bewoog niet. Hij zat daar maar. Freya zag niets wat op een wapen leek. De jongen nam geen dreigende houding aan. Hij keek naar haar.

Was hij niet bang, zo dicht bij haar dorp?

De jongen bewoog. De kraai op zijn schouder fladderde met zijn vleugels om zijn evenwicht te vinden. De jongen met het zwarte haar pakte zijn buidelzak. Hij haalde er iets uit dat op brood leek. De kraai pikte er gulzig naar. De jongen leek even oud als Yvar en Gunnulf. Dertien, veertien. Hij verstopte het brood onder zijn arm zodat de kraai er niet meer bij kon. Grappig. De kraai zocht met zijn kop naar de verdwenen korst en probeerde toch overeind te blijven op de schouder. Freya voelde dat de kou uit haar lichaam verdween. Ze rilde en zuchtte zacht. Er was geen gevaar.

De jongen stak de homp brood naar haar uit. Wilde hij met haar delen? Met haar praten? Freya was een Noorvrouw en Noorvrouwen zijn moedig. Ze liep naar hem toe. Ze zag het teken op zijn borst. Een ketting met een kruis eraan. Freya kende dat teken. Het leek wel een omgekeerde hamer van Thor! Ook slaven hadden zo'n ketting met een kruis om hun hals. Het was hun rune voor hun god. De slaven kenden maar één god. En die god had een zoon naar de mensen gestuurd die zich, zonder te vechten, had overgegeven aan zijn vijanden. Hij had zich laten kruisingen en na zijn dood was hij teruggekeerd naar zijn godvader in een ander Walhalla dan dat van Wodan. De zoon heette de Gezalfde. Hij had geen draak verslagen, geen reuzen of monsters overwonnen. Geen ander leger. En toch was hij een held. Hij had geen schatten veroverd, had geen krijgers om zich heen. Alleen vissers. Dat vond Freya wel interessant. Maar sterven om anderen te verlossen? Wie had de Gezalfde verlost? En waaruit of waarvan? Een vreemd verhaal.

De jongen sprak haar in het Frankisch aan. Gelukkig had Freya die taal leren verstaan bij de slaven.

'Ik heb geen stuk rots gegooid. De losse stenen gleden onder mijn voeten weg.'

Waar had hij het over?

Toen herinnerde Freya zich de rotsscherf die naast haar neergekomen was. Toen ze de jongen voor het eerst gezien had.

'De steen is naast mij gevallen,' zei ze.

Het verwonderde haar dat ze zo vlot sprak, terwijl ze toch gespannen was. Spreken met een inlander, een vrije inlander nog wel ...

'Ik heb je gezien,' zei de jongen.

'Ik zag je ook,' zei Freya.

De kraai kwam tussenbeide en rukte met zijn snavel het brood uit de handen van de jongen. De vogel wipte in het gras en begon in het brood te pikken.

'Vreetkop,' zei de jongen plagend tegen de kraai.

'Vreetkop,' antwoordde de kraai.

'Ja, hij praat,' knikte de jongen toen hij Freya's verwarring zag. 'Hij zegt woorden die ik hem geleerd heb. Niet zoveel, enkele woorden maar.

'Maar hoe doe je dat?' wilde Freya weten.

'Mijn vader heeft me geleerd dat je bereikt wat je wilt, als er je maar lang en aandachtig mee bezig bent.'

'Hoort hij bij jou?' vroeg Freya.

De jongen knikte. 'Hij hoort bij mij. Bij Thiry. Zo heet ik.'

'Thiry,' zei de kraai en hij at verder.

Ik wil ook wel een kraai die bij mij hoort, dacht Freya.

28

Zij hoorde bij haar vader en haar moeder, maar wie hoorde bij haar? Hoe had die knaap het klaargespeeld om een kraai bij hem te laten horen?

'En hoe heet jij?' vroeg hij vriendelijk.

'Freya,' zei Freya.

'Freya ...' Hij proefde het in zijn mond.

Freya knikte. Hij sprak haar naam goed uit.

Ineens kreeg ze een idee. Ze haalde haar graveerstift uit haar buidel. Op een van de rotsen tussen het gras schreef ze zijn naam in runenschrift.

'Thiry,' zei ze toen het er stond. Het was niet moeilijk. Het leek op de runen van Tyw, de god met de speer.

'Kan ik niet lezen,' schudde Thiry het hoofd. 'Mag ik?' Hij nam de graveerstift van haar over.

'Dit is mijn naam.' Hij kraste hem in Frankisch schrift.

Bizar dat dezelfde naam met dezelfde klank zo verschillend geschreven kon worden.

Ze keken naar wat ze op de rots gegrift hadden en begonnen allebei te lachen.

'En nu mijn naam,' zei Freya. Ze kraste haar naam in de steen. Daarna deed Thiry hetzelfde, in het Frankisch.

'Een geheime taal, de runen,' zei Freya. Ze begreep niet waarom ze hierover begon tegen een vreemdeling. Wilde ze laten zien dat ze belangrijk was?

'Ik vermoedde al dat je een geheime taal zong,' zei Thiry.

'Heb je me horen zingen?'

'O ja. Ik heb je al vaker gezien.'

'Wanneer dan?'

'Ik ga vissen aan de westkust, waar de drakenschepen nooit komen. Mijn kraai lust wel vis. En ik ook. Om naar het water af te dalen kies ik de laagste flank. Jij weet ook waar die is.'

Freya knikte. Helemaal aan het uiteinde van de vogelrots, bij de kromming. Daar was een plek in het water waar de drakentanden stonden. Freya was al wel eens aan die kant naar boven geklommen. Maar vanaf het strand daarnaartoe gaan was gevaarlijk. De branding kon je verrassen. Die moest je voor blijven. Anders bleef er geen andere uitweg dan klimmen.

'Bij mijn terugkeer naar huis over de vogelrots heb ik je al vaker zien lopen, bij de kreek.'

'Jij boven, ik beneden,' glimlachte Freya.

'Precies, en nu zien we elkaar van dichtbij.'

Freya voelde zich ongemakkelijk.

'Zullen we vis zoeken voor je kraai?' stelde ze voor.

'Die vreetkop heeft genoeg gehad,' lachte Thiry.

'Vreetkop,' kraste de kraai.

'En hij doet zich nu en dan te goed aan jonge mosselen.'

'Mosselen?' vroeg Freya ongelovig.

'Hij is heel slim. Hij laat ze hoog uit de lucht vallen, zodat ze breken op de rotsen. Dan pikt hij ze uit hun schelp. Hij is er erg bedreven in.'

'Zullen we eieren zoeken?' waagde Freya het te vragen.

'Waarom niet? Ik heb een paar nieuwe nesten ontdekt,' antwoordde Thiry.

Toch vreemd, dacht Freya, dat we niet eerder met elkaar gesproken hebben. Terwijl we nooit ver van elkaar waren. In vogelvlucht. We kennen elkaars favoriete plaatsen. Nou ja, ik ken de zijne nu ook. Hij kende de mijne al langer. Ook hij houdt van deze plek boven op de vogelrots.

'Ik kom hier ook wel eens eieren rapen of dons verzamelen,' zei Freya.

'Weet ik,' zei Thiry. Hij had intussen het nest gevonden van een koppel drieteenmeeuwen.

'Wel oppassen. Mijn kraai lust die eieren ook.' Hij legde de eieren in haar mand. 'Ik zie jou, maar jij ziet mij nooit,' zei hij bijna verwijtend.

'Ik verwacht ook niet hier iemand te zien,' protesteerde Freya.

'Ik ook niet,' zei Thiry ernstig.

'Zullen we dat nog een keer doen, eieren rapen?'

'Mij goed,' mompelde Thiry. 'Zolang je maar niet verklapt wie ik ben.'

'Waarom niet?' wilde Freya weten. Maar ze kende het antwoord zelf wel. Omdat hij bang was dat de vikingen hem zouden komen zoeken om hem tot slaaf te maken.

'Je bedoelt dat je geen slaaf wilt worden,' zei Freya dapper.

'Mijn zus is een slavin.'

31

'En jij? Bij welke clan?'

'Ik ben geen slaaf,' zei Thiry verontwaardigd. 'De Gezalfde heeft zijn leven gegeven opdat wij vrije mensen zouden zijn. Geen mens is gemaakt om slaaf te zijn.'

Plots wilde Freya met Thiry praten over de stemmen in haar hoofd. Maar ze durfde het niet. Ze dacht aan de rune Mannaz. Heimdall de alziende hemelgod had boeren en edelen en slaven gemaakt. Slaven hadden zij, de Noormannen, hier in dit nieuwe land gemaakt.

Hoe dichter ze bij de nesten kwamen, hoe onrustiger de drieteenmeeuwen werden. Wild krijsend gingen ze in drommen om hen heen duiken.

'Laat nog wat eieren over voor morgen,' zei Thiry glimlachend. 'Nu moet ik ervandoor. Kom, kraai, zeg gedag tegen Freya.'

'Vreetkop,' kraste de kraai.

Freya haastte zich naar huis. Ze voelde zich licht en blij. De woorden van Thiry weergalmden in haar hoofd. Hij was vriendelijk en knap. In haar dorp was geen man zo knap als Thiry, behalve haar vader natuurlijk. Jammer dat Thiry een Frank was. Hoewel, nu had ze een geheim. Nee, ze hadden samen een geheim.

ᛗ

'Je bent vroeg terug,' zei haar moeder verbaasd.

'Ik heb nog wat eieren voor morgen overgelaten,' zei Freya. 'En ik wilde mijn runen ordenen,' voegde ze eraan toe.

Ongemakkelijk keek Freya naar Lianne. Het gesprek met Thiry en eigenlijk alle gebeurtenissen van vandaag verwarden haar. Lianne sorteerde zaaigoed. Ze was uitmuntend op het veld, teelde de beste gewassen. Maar zij was dan ook in dit land opgegroeid. Eraan ontsproten.

'Je wilt Mannaz in je steen kerven?' zei Frigga op vragende toon.

'Ja,' bevestigde Freya. 'Kun je me de rest van het verhaal vertellen?'

'Je kent alle verhalen. Ook dat.'

'Maar ik wil toch dat je het nog eens vertelt.'

'Nou goed dan. Ik verwacht je fadir niet meteen terug. En als hij met de clanmannen terugkomt, is er geen plaats meer voor verhalen. Waar waren we gebleven?'

Freya pakte haar steen. Ze ging bewust naast Lianne zitten en hielp haar met het sorteren van de erwten. Moeder stond achter een opgespannen huid en begon die glad te strijken. Het monotone ritme van het schraapmes gaf Frigga haar verhaalstem.

Freya wist dat haar moeder verschillende stemmen had: de verhaalstem, de zienerstem, de modirstem en de Thorolfstem, de Liannestem en het Freyastemmetje. Er was één stem waarvan Freya niet hield: de stem van de sprakeloze. Die hoorde en zag Freya wel eens in haar ogen. De woorden bleven dan in modirs keel zitten, maar vloeiden uit haar ogen. Als Freya dan haar naam riep, kwamen de gewone ogen terug en daarna de modirstem.

Op een dag wilde Heimdall, de goddelijke wachter, mensen scheppen. De god vermomde zich als een eenzame reiziger, als een mens. Voortaan noemde Heimdall zichzelf Rig.

Rig klopte aan bij een oud echtpaar, bij overgrootvader en overgrootmoeder. In hun schamele hutje at hij mee van wat de oudjes aten. Hij bleef er drie nachten slapen. Hij sliep tussen de oudjes in.

Negen maanden later baarde overgrootmoeder een zoon. Die zoon, Thrall, had gitzwarte haren, een puisterige huid, een bochel op zijn rug en vuil onder zijn nagels. Thrall trouwde met een lelijke vrouw met een haakneus en kromme benen. Ze kregen vreselijke kinderen die op hun beurt slaven voortbrachten, geboren zwoegers. Daarom lopen de slavenmensen gebogen.

Verderop klopte Rig weer ergens aan. In dit huis was een gezellige haard en houten meubelen. Daar leefden grootvader en grootmoeder. Die waren de hele tijd bezig: koeien melken, schapen scheren, spinnen en weven. Rig bleef er drie dagen lekker eten en slapen.

Negen maanden later baarde grootmoeder een zoon. Die zoon, Karl, trouwde met een opgewekte, flinke vrouw en samen kregen ze flinke, noeste boerenkinderen die eigen boerderijen bouwden en vrije mensen waren.

Ten slotte logeerde Rig in het schitterende huis van Fadir en Modir, vader en moeder. Fadir hanteerde het zwaard, pijl en boog. Modir kamde haar haren en baadde zich voortdurend in de beste oliën. Rig kreeg de heerlijkste maaltijden en dranken voorgezet. Hij sliep in het prachtige bed van Fadir en Modir. Hij bleef er drie dagen.

Negen maanden later baarde Modir een zoon. Die zoon, Jarl, was een knappe blonde jongen met een doordringende, slimme blik. Hij kon omgaan met pijl en boog, speer, zwaard en schild, kon paardrijden als de beste en zwemmen als de dolfijnen.

Later keerde Rig terug naar het derde huis en leerde Jarl hoe hij land moest opeisen en besturen. Jarl trok nu de wijde wereld in, zoals Rig hem had gevraagd. Hij streed, veroverde een ongelooflijke buit en verdeelde zijn rijkdommen onder zijn vrije onderdanen. Hij trouwde met een beeldige, blonde edelvrouw die hem twaalf zonen baarde. Een van die zonen was zowel ziener als koning.

Frigga hield op met vertellen. Freya keek naar Lianne en naar het kruis op haar borst.

'Jouw god heeft zich ook als mens vermomd, is het niet?'

Lianne keek vragend naar Frigga. Frigga knikte. Lianne mocht de vraag beantwoorden.

'God heeft zijn zoon als mens vermomd, dat is waar. En hij gaf hem de naam de Gezalfde, de Christus.'

'Heeft die vadergod ook edelen en boeren en slaven verwekt?'

Weer keek Lianne vragend naar Frigga. Die ging gewoon door met looien. Ze luisterde en glimlachte.

'De Gezalfde heeft gezegd dat zijn Vadergod alle mensen gelijk heeft geschapen. Als man en vrouw schiep hij de mensen, als broer en zus, zonder onderscheid. Er is maar één koning en dat is God, dat heeft de Gezalfde gezegd.'

Lianne boog zich weer nederig over haar werk en zweeg.

Freya kraste net het laatste stuk van de rune Mannaz.

'Ben je vrij geboren, Lianne?' Freya liet niet af.

Nu keken Lianne en Frigga allebei op, geschrokken door die onverwachte vraag.

'Ja, ik was vrij,' knikte Lianne met vochtige ogen.

'Ik moet je wat vertellen, Freya,' begon Frigga. 'Toen ik iets ouder was dan jij nu, leefde ik bij mijn familie in het hoge Noorden tussen de fjorden. We leefden net als nu van de landbouw en de visvangst. We moesten ons verdedigen tegen de andere clans die onze voedselvoorraden kwamen stelen. Op een dag kwam de clan van Hakon de Wrede het dorp plunderen. Het was Hakon niet alleen om de voorraden te doen, hij wilde ook het land waarop we leefden. Zolang wij er leefden, kon hij er niet leven. Hij heeft iedereen uitgemoord, de huizen in brand gestoken en alleen de jonge maagden gespaard. Die maagden waren voor zijn krijgers bestemd. Jouw vader was een van zijn mannen. Hij koos mij uit. Niet als slavin, als zijn vrouw.' Frigga's adem stokte. 'Ik moest toekijken hoe mijn ouders vermoord en verbrand werden. Ik hoor nog altijd de kreten van mijn jongste broertje toen hij zich tegen mijn moeder wierp en met haar vermoord werd. Hakon de Wrede en zijn bende vestigden zich in ons dorp. Elke dag, elk moment van de dag herinnerde hun aanwezigheid mij aan de slachting. Tot ik op een dag geen stem meer had. Toen is je vader met de zijnen uitgevaren om zich ergens anders te vestigen. Jij werd geboren op het drakenschip op weg hierheen. Bij jouw geboorte kreeg ik mijn stem terug.'

Freya had ademloos geluisterd. Nu begreep ze waarom modir zo vaak zweeg. Nu begreep ze ook waarom modir de slavin Lianne beter behandelde dan de andere Noorvrouwen hun slaven behandelden.

De hoorn galmde over het dorp. De drakenschepen zeilden binnen.

Fadir Thorolf, dacht Freya wanhopig. En aan Thiry dacht ze, net zo wanhopig.

'Je vader is een goed man, Freya,' zei Lianne.

'En mijn moeder een goede moeder,' vulde Freya aan.

Ze zwegen. Toen stormde Thorolf bulderend en goedgehumeurd binnen. Jarl Varangr, jarl Björn van Bessin en de andere clanhoofden kwamen achter hem aan. Thorolf en zijn mannen namen de woorden over. De stilte van de vrouwen viel hem niet eens op. Wodans dag was begonnen.

Freya glipte het langhuis uit.

ᚠ

Het tromgeroffel trok haar aandacht. Samen met de krijgers waren ook de skalden gekomen. Zij zongen de liede-
ren bij de wedstrijden of rond de grote vuren. Zij hadden
de verhalen in hun hoofd. Net zoals Frigga.

Freya voelde een stilte over zich heen komen. Ze keek
anders naar de mensen. Ze bleef een eindje van de wed-
strijdperken vandaan, terwijl de meeste mensen toekeken.

Het speerwerpen was bezig. Die wedstrijd eerde de god
Tyw, de god met de speer naar wie Tyws dag genoemd
was. Discipline en rechtvaardigheid waren de belangrijk-
ste bepalingen in het wedstrijdreglement, dat door de god
Tyw zelf was overgeleverd. Iedereen mocht meedoen. De
schietschijf werd steeds verder weg gezet. Wie de laatste
speer gooide die doel trof, won.

Freya keek toe hoe de mannen een voor een gooiden. Ze
voelde niet de opwinding van de juichende menigte. Yvar
en Gunnulf deden ook mee. Iedereen moedigde de zoon
van Thorolf aan. Yvar gooide en trof doel. Hij kreeg schou-
derkloppen van de omstanders. Hij glunderde. Gunnulf
raakte uiteraard doel. Hij was in kracht de meerdere van

Yvar. De jongens lieten zich opjutten door de oudere mannen. Ze bleven in de wedstrijd.

Freya wilde zich niet langer afzijdig houden. Het verhaal van haar moeder lichtte op in haar hoofd. Ze drong tussen de mensen door naar de eerste rij. Voor iemand besefte wat er gebeurde, pakte ze een speer van de grond op. Ze haalde diep adem, tuurde met half gesloten ogen naar de schietschijf en wierp de speer. Het luchtte haar op.

Haar speer trof doel. Gungnir, de speer van Wodan, faalt nooit, dacht Freya. Ze maakte zich snel uit de voeten toen ze merkte dat iedereen naar haar keek. Vooral Yvar kon het amper geloven. Gunnulf monkelde.

Straks zouden de skalden nog over haar zingen. Wat zou Yvar dan knarsetanden!

De beer zat nog altijd op dezelfde plek tussen de palen. Worstelaars stonden om hem heen. Ze schatten zijn kracht in, want morgen zouden ze tegen hem vechten. Freya wilde wel eens weten wat er zou gebeuren als de beer won. Zou dan ook recht geschieden? Wodans dag was immers de dag van de haardvuren en van de gerechtigheid. Een dag om de oude gebruiken en de voorouders te eren. Freya besloot de oude vrouw met de leren riemen te zoeken. Het was haast nacht.

De vrouw vond ze niet meer. En de beer had zich intussen opgerold om te slapen.

In het langhuis begon een nieuw ritueel. Alle clanhoofden waren er, met hun vrouwen. Bij het haardvuur stond Yvar. Modir Frigga overhandigde hem zijn eerste volwassen schild. Het was fraai bewerkt door de dorpssmid. Bij het schild hoorde een dolk met een lemmet dat aan twee kanten sneed. Op het heft waren runen gekerfd. Ansuz, herkende Freya. Ansuz, de rune van de Alvader zelf.

'Skoal,' toastte haar vader op zijn zoon.

'Skoal,' toastten de aanwezige jarlen op de gezondheid en het heil van Thorolfs zoon.

Freya trok zich terug in de donkerste hoek van het langhuis. Ze wilde er niet bij zijn als ze begonnen te dobbelen en te zingen. Het was genoeg geweest. Vooral de triomfantelijke blik in de ogen van Yvar Thorolfson kon ze nu best missen.

X

Nog voor de dagtijd begon, was Freya als eerste op de vogelrots. Ongeduldig wachtte ze, terwijl ze eieren raapte. Ze keek naar de vlucht van de twee zwarte kraaien. Het begon zacht te regenen toen Thiry kwam. Hij leek opgewonden, net als zijn kraai.

'Ik kon niet sneller weg,' verontschuldigde hij zich.

'Geeft niet, de eieren zijn al geraapt,' zei Freya.

'Ik wil je iets laten horen,' begon Thiry. Hij zette zijn kraai op zijn onderarm.

'Zeg het dan, kraai. Zeg *Freya!*'

De kraai zei niets.

'Toe nou, vanmorgen kon je het nog. Zeg *Freya!*'

De kraai met de zwarte kraaloogjes sperde zijn zwarte snavel wijd open. Maar geen geluid.

'Hij lijkt wel een sprakeloze,' zei Freya lachend. Zo voelde ze zich soms ook, zoals de kraai. En het was mooi dat Thiry de moeite deed om zijn vogel haar naam te leren. Hij dacht aan haar. Hij moest eens weten hoe zij aan hem dacht.

Uit haar buidel haalde ze de hartsteen. In de steen was duidelijk Mannaz gegrift.

'Mannaz, een geheime rune. Voor jou,' zei Freya. 'Hij brengt mensen samen.'

'Dan is het een goede steen,' glimlachte Thiry en hij nam hem aan.

'Ik was al vroeg op onze markt vanmorgen,' ging hij verder. 'Daar hoorde ik dat jouw koning Rollo zich zondag in Rouen zal laten dopen. Onze koning, Karel de Eenvoudige, stelde dat als eis toen hij vorig jaar een verdrag met Rollo sloot. Maar Rollo mag dit land houden. Er zal veel volk naar Rouen gaan.'

'Je liegt,' voer Freya tegen hem uit. 'Rollo laat zich niet dopen! Hij is een krijger, de vorst van de vikingen!'

'En toch zal het zo zijn, Freya. Als gedoopte zal vorst Rollo niet meer moorden en plunderen. Zo wil de Gezalfde het. Zo wil koning Karel het.'

'Dat denk je maar,' zei Freya woedend. 'Vorst Rollo is een viking. Hij blijft heersen over zijn land. Hij is een jarl.'

'Als je gedoopt bent, hoor je een andere stem in je hoofd. Die van de Gezalfde.'

'Bij Thor, wat weet jij van stemmen in je hoofd!' Freya ontplofte bijna. Ze schrok van haar eigen woede. Sprakeloos was ze niet, nu ze alleen boosheid voelde. Integendeel, de woorden gulpten uit haar mond. 'Je weet nauwelijks hoe vervelend het is om andere, oude stemmen te horen.

En ze stellen vragen, die stemmen. Ik ken het antwoord niet.' Freya schrok. Ze had 'ik' gezegd. Ze had zich versproken.

Thiry bleef rustig onder haar woedeaanval.

'Ik hoop dat het niet op mij is dat je boos bent.'

'Ja, nee ... Ik weet het niet.'

Freya wist het niet. Hoe moest het nu verder? Hun koning Rollo die zich liet dopen. Stel je voor dat het waar was! Wat moest haar vader Thorolf dan doen? Hem volgen? Zich ook laten dopen?

'Morgen wordt er bij jullie markt gehouden, Freya. Op jouw Walpurgisfeest. Het is visdag, de dag dat de Visserkoning aan het kruis stierf. Vrijdag. Dan kun je het nieuws ook horen. Als de vrije Franken je dorp in mogen, tenminste.'

'Nee,' zei Freya. 'Wij hebben onze eigen markten. Wij hebben de Ting. Dat is onze traditie. Er verandert niets, Thiry. Ik zou het wel willen, maar er verandert niets.'

'Je moet er eerst zelf in geloven,' zei Thiry. 'Zonder geloof verandert er inderdaad niets. Maar jij bent bang om erin te geloven.'

'Vergis je niet, Thiry. Ik ben nooit bang. Nooit. En nu wil ik terug naar huis. Nu meteen.'

'Blijf nog wat praten,' vroeg Thiry.

'Nee, de Ting begint. En de wedstrijden.'

'Of zullen we vissen voor kraai? Voor ...' Thiry wilde

44

nog wat zeggen, maar slikte zijn woorden in. 'Zeg één keer
Freya, kraai. Toe.'

De zwarte vogel deed alsof hij het niet begreep.

'Morgen? Breng je dan wat vis mee? In je dorp is er
beslist vis in overvloed.'

'Morgen is morgen,' siste Freya. Ze reageerde verkeerd,
voelde ze. Maar ze wist niet hoe het anders moest.

Ze ging ervandoor.

ᚾ

Aan haar moeder kon Freya niets vertellen van het gesprek met Thiry. Aan haar vader nog minder.

Bij de rand van het bos ging ze tussen de varens en de kruiden zitten. Ze keek naar het dorp beneden. Nog even, tot ze weer rustig was. Modir mocht niet merken dat ze overstuur was. Zou ze Wodan aanroepen? Wodan de Wijze?

Niemand wist zoveel als Wodan, die op zijn troon de negen werelden kon overzien. Behalve de godin Frigga, zijn vrouw. Frigga droeg de wijsheid in zich. Maar omdat Frigga weinig losliet over die wijsheid, was Wodan jaloers. Hij wilde net zo wijs zijn als Frigga. Hij ging bij de Nornen te rade.

'Wat is,' zei Urd, 'is het resultaat van wat voorbij is.'

'Wat is,' zei Verdandi, 'is bezig te worden.'

'Wat zal zijn,' zei Skuld, 'is het begin van wat is.'

En ze schepten water uit de bron van het lot en goten het over de wortels van de boom Yggdrasil.

Wodan werd vreemd droevig. Hij had gedoold door Asgard, de godenwereld, en door Midgard, de mensenwereld. Hij had zijn krijgers verzameld in het Walhalla. Hij was niet bang. Hij riep zijn twee kraaien bij

46

zich. Hij riep zijn twee wolven. 'Ik moet naar de leegte van Nifelheim.' Toen hing hij zich op aan de levensboom Yggdrasil, met zijn hoofd naar beneden. Hij doorboorde zijn middenrif met zijn speer Gungnir. Zo hing hij negen dagen en negen nachten aan de boom. Zijn kraaien keken toe. Zijn wolven huilden. Wodan stierf langzaam. Elke dag, elke nacht die op de dag volgde, kwam hij dichter bij de leegte van Nifelheim. Hij zonk in de vlakte waar de ijle nevels golven. In de leegte voelde hij gruwelijke pijnen. Hij stierf.

Na de negende nacht zag hij de warme zon weer. Hij zag de geheime runetekens en onthield ze. De pijn tintelde weer in zijn verkleumde ledematen. Het was een goede pijn. De wond in zijn middenrif was dichtgegroeid.

Toen Wodan weer tot leven kwam, kende hij alle geheimen van de levenden en van de doden. Maar de wijsheid van de geheime runetekens begreep hij nog steeds niet.

Toen ging hij naar de bron van Mimir, aan een van de andere wortels van Yggdrasil, in het land van de reuzen. Daar waakte Mimir, de god van de herinnering.

'Ik wil een slok van je helderziend water, Mimir,' vroeg hij de god van de herinnering.

'Als je naar binnen kunt kijken, mag je van het water drinken, Wodan,' was het antwoord van Mimir.

Wodan dacht lang na, keek in de rimpelingen van de eeuwige bron en rukte zijn rechteroog uit de oogholte. Hij gooide het in het water. 'Nu kan ik naar binnen kijken,' zei Wodan. 'En nog zie ik alleen mezelf.'

'Drink van de bron,' zei Mimir.

Wodan dronk van de bron.

Toen begreep hij de geheimen achter de tekens. Wodan keerde terug naar Asgard. Voortaan was hij de wijze god met één oog. Hij bracht de runen naar de jarlkoningen, zodat zij wijze beslissingen namen en dichters werden.

Het verhaal van Wodan leek eigenlijk wel op dat van de Gezalfde. Ach nee, Freya wilde niets meer horen over de Gezalfde. Wodan zou ze aanroepen. Wodan, de god die de geheimen van de runen bij de mensen in Midgard gebracht had. Wodan, de god met de twee kraaien en de twee wolven.

Vastbesloten liep ze naar het dorp. Straks begon Thors dag. Thor, de god met de machtige hamer. En de hamer was er het eerst, voor het kruis! Freya zweeg toen ze in het dorp kwam. De Ting was begonnen.

Er waren weinig mensen op de markt. De spelen waren onderbroken. Iedereen stroomde samen bij de Ting. De mannen zaten in een cirkel. De vrouwen stonden achter hen. Thorolf zat in het midden tussen de andere jarlen. Achter hem stond Frigga in haar blauwe wollen jurk. Freya's moeder was ook raadgeefster bij de Ting. Als ze raad gaf, werd er naar haar woorden geluisterd. Voor Thorolf stond dezelfde speer als die waarmee Freya gisteren gegooid had. Nu stond de speer van Tyw rechtop in de grond. Een symbool voor de Ting. Thorolf mocht rechtspreken, bijgestaan door de andere jarlen. De wettenzegger dreunde de overgeleverde vikingwetten op.

Freya kon zo aan de gezichten van de aanwezigen zien welke familie een wet overtreden had en welke familie recht kon verwachten voor het onrecht dat hun aangedaan was. Vooral de vrouwen schuifelden zenuwachtig heen en weer en fluisterden tegen elkaar. De eerste zaak werd ingeleid. Een viking vertelde hoe zijn zoon vermoord was door Geirod, een boom van een kerel.

'Geirod slingerde een bijl in de rug van mijn zoon,' riep de oudere man beschuldigend. Een zucht van ontzetting steeg op uit de menigte.

'Geirod, waarom slingert een man een bijl in de rug van een andere man?' vroeg Thorolf hard maar beheerst.

'Hij liep in mijn weg,' mompelde Geirod ter verdediging.

'Hij ging tekeer als een berserker,' schreeuwde de vader, nog voor Geirod uitgesproken was. 'Hij wil de vrouw van mijn zoon.'

Dát was waar de vrouwen op wachtten. Allemaal keken ze naar de weduwe van de vermoorde man. Het gefluister begon. Uiteraard wist iedereen wie de vrouw was. De weduwe zelf verroerde geen vin. Ze zou een deel van de boete krijgen die de familie van Geirod zou moeten betalen voor de moord. De Ting zorgde ervoor dat families elkaar niet uitmoordden uit bloedwraak.

'Waarom gooit een man een bijl in de rug van een andere man om een vrouw te winnen?' vroeg Thorolf rustig. Het geroezemoes stopte. Iedereen wilde het antwoord van Geirod horen.

'Ze maakte me gek van verlangen,' biechtte Geirod op.

Alle hoofden keken weer naar de weduwe. Nu werd het spannend. Hoe zou Thorolf reageren?

Thorolf reageerde niet. Tenminste, niet op wat Geirod zei. Thorolf staarde naar de grijze zee in de verte. Hij zag het drakenschip het eerst. Hij gaf het teken om op de gong te slaan.

Freya zag de glimlach op het gezicht van haar vader. Fadir had al geraden, op die afstand, dat het zeil dat van zijn vriend Harald Dubbelzwaard uit Fécamps was. Het hoorngeschal vanaf de zee bevestigde zijn vermoeden.

Harald was een oudere vorst in een kustdorp verderop. Maar zou Harald niet pas in de dagtijd komen, op Frigga's dag? Om bij de jarlting aan te zitten? De jarlting werd achter gesloten deuren gehouden. Alleen de jarls hadden het recht om de landen te verdelen, beslissingen over machtsverdeling te nemen of met de koningsjarl Rollo te vergaderen.

Freya zag dat fadir Thorolf zijn wenkbrauwen dichter bij elkaar bracht. Ook fadir verwachtte Harald niet nu, niet op Thors dag.

Thorolf deelde kort en goed bevelen uit. Hij verklaarde

de Ting geschorst tot de avondtijd, wanneer Thors dag begon. De spelen en de markten konden weer beginnen.

Yvar en Gunnulf haastten zich naar het worstelen.

THORS DAG: DONDERDAG

I

Freya liep naar haar moeder. Voor het eerst vandaag was ze blij dat ze kon helpen. Het zou haar gedachten afleiden van Thiry.

'Ik voel onrust,' merkte Frigga op.

Voorspelde Frigga? Of voelde ze dat haar dochter iets verzweeg?

'En Walpurgis is niet eens begonnen,' voegde ze er nadenkend aan toe.

Harald Dubbelzwaard en drie krijgers uit zijn gevolg stevenden vastberaden op het langhuis van jarl Thorolf af. Op de groet van de andere clanhoofden reageerden ze niet. Hun gezichten stonden verbeten. Slecht nieuws, voelde Freya. Of had het bericht van het doopsel van Rollo hen bereikt? Freya wilde kunnen horen wat er in het langhuis gezegd zou worden. Maar dat kon niet. Straks, straks zou ze wel flarden van de gesprekken opvangen als ze naar het langhuis ging om te slapen. Eerst was er Walpurgisnacht.

De menigte had zich weer verspreid over het dorp. Van de clanhoofden trokken ze zich niet veel aan. Het Walpurgisfeest werd maar één keer per jaar gehouden, en dat zouden ze niet onopgemerkt voorbij laten gaan. De zomer begon, de donkere tijd lag achter hen. Nu kwam de tijd van zaaien, planten, groeien. Bij de kraampjes lagen de werktuigen uitgestald op de grond. Zeisen en sikkels, rieken en dorsvlegels. Er waren zelfs Frankische leenboeren aanwezig. De handel zorgde ervoor dat de poorten van het dorp opengingen. Ze verkochten kaas en huiden, houten lepels en kommen, kleien potten, ijzeren ketels. Fijn geslepen messen. De vikingen verkochten hun vetste ganzen, hun ooien en rammen, zelfs runderen.

Yvar en Gunnulf hadden zich bij het worstelen aangemeld. De jongens bleven geduldig toekijken naar de andere worstelaars. Ze wachtten tot het hun beurt was en schatten intussen hun tegenstrevers in. Wie als winnaar uit zijn kamp kwam, moest in een volgend gevecht aantreden tegen een nieuwe tegenstrever. Zo kreeg iedereen een kans.

Plots bleef Freya als aan de grond genageld staan. Was dat Thiry niet? En Lianne naast hem? Thiry was belangrijker dan de mannen in het langhuis of op het worstelperk. Ze wurmde zich tussen de mensen door en stond opeens voor hem.

'Freya,' zei hij geschrokken. Lianne schrok ook. Toch

ging ze niet weg. Thiry's donkere haar hing voor zijn ene oog zodat het leek alsof hij maar één oog had. Hij droeg de pels van een bruine wolf om zijn schouder. De kop hing er nog aan en de oogkassen waren kunstig ingezet met gele kralen. Alsof de wolf nog leefde. Alsof Wodan zelf voor haar stond, met zijn wolf. Maar het was wel degelijk Thiry. Voor zijn voeten lag een bundel samengebonden pelzen van schapen en herten.

Waar was de kraai? Had Thiry zijn kraai achtergelaten? Nee, Freya zag hem op de nok van een langhuis, vlak bij de beer tussen de palen. Zijn zwarte, pientere ogen sloegen alles gade.

Freya glimlachte. Thiry was hier, bij haar. In haar dorp. Hij durfde het aan om hier te komen. Voor haar? Of voor Lianne? Tenslotte was Lianne een Frank zoals hij.

'Mijn vader bewerkt huiden, praat met dieren. Hij maakt de prachtigste pelzen en mantels, Freya,' begon Thiry. 'Ik heb voor jou een hemd van valkenveren meegebracht.'

'Voor mij?' vroeg Freya verrast. 'Hoe weet je dat ik ...?'

De godin Freya kon zich, dankzij haar valkenhemd, in een valk veranderen en vliegen.

'Ik dacht dat je valkenveren wel mooi zou vinden. Je houdt van vogels en ...'

'Ja, maar waarom doe je dat?' vroeg Freya ongelovig.

'Mijn vader heeft er meer dan genoeg. Mijn moeder is de mooiste vrouw van ons dorp. Zij houdt ook van vogels.

Ik geef je de wolvenpels als je die liever wilt. Mijn vader is een jager,' zei Thiry snel. 'Ik ben meer een visser. Zoals de Gezalfde.'

'Je vader is zoals Thor, de dondergod,' wierp Freya op.

Voor Thiry weer iets kon zeggen, hoorde Freya haar naam.

Yvar maakte zich los uit de greep van Gunnulf. Ze waren een schijngevecht aangegaan tot het hun beurt was om te worstelen. Ze kwamen dreigend bij Freya en Thiry staan. Vrije Franken mochten op de markten komen met hun goederen. Waarom pikten ze hem er dan uit? Om de wolvenhuid, vermoedde Freya.

'Zo, Freya, is dat jouw vriendje?' vroeg Yvar. 'Zijn vikingen niet goed genoeg voor je? Sinds wanneer verlaagt een jarldochter zich tot het slavenvolk?'

'Ik kom huiden ruilen,' zei Thiry.

'Ruilen? Waartegen, slaaf?' blafte Yvar.

'Kruiden.'

'Wie heeft die wolvenhuiden gelooid?' vroeg Yvar scherp.

'Die wolf lijkt nog te leven,' voegde Gunnulf eraan toe.

'Mijn vader zet dieren op en looit pelzen.'

'Wie geeft jouw vader het recht om wolven in Noormannenland te doden?'

'Hij doodt ze niet zelf. De mensen brengen ze naar hem toe.'

'Dat geloven we niet.'

58

Yvar wilde laten zien dat hij de zoon van een jarl was. Had hij gisteren niet het schild en de dolk gekregen?

'Ik wil alleen kruiden. Mijn vader is zwaar ziek.'

Sprak hij daarom met Lianne? Lianne wist net zoveel van kruiden als haar moeder Frigga. En Lianne was een Frankische. Een van de zijnen.

Het geruzie trok de aandacht van de menigte. In een mum van tijd was een groepje mensen om hen heen komen staan om het geruzie te volgen. De mede en het bier hadden de hoofden zwaar gemaakt en de gemoederen verhit.

'Ik daag je uit tot een tweegevecht in de worstelring,' zei Yvar. 'Als je wint, krijg je je kruiden. Als je verliest, verlaat je ons dorp. Onmiddellijk.'

Freya wist dat Thiry geen keus had. Een blik op het gezicht van Lianne bevestigde haar vermoeden. Lianne keek ontzet.

'Wil je die voor me vasthouden, Freya?' vroeg Thiry terwijl hij haar de vachten en het hemd van valkenveren in de armen duwde.

'Freya houdt niets voor je vast,' beet Yvar en hij sloeg de pelzen uit Freya's armen.

'Lianne?' vroeg Freya koelbloedig.

Lianne raapte de pelzen op.

De menigte liet de twee door. Ze liepen naar het worstelperk.

De scheidsrechter herhaalde kort de acht toegelaten grepen. Met de voetgrepen en de heupworpen kon je je tegenstander uit evenwicht brengen. Wie met zijn rug de grond raakte, verloor. De kleren die je droeg, waren niet zo belangrijk. De buikriem, een houvast voor de tegenstrever, wel. Thiry had een brede leren riem om.

Een hoorn schalde, het gevecht kon beginnen. De twee jongens stonden tegenover elkaar. Yvar greep Thiry bij de schouders en haakte zijn voet achter het been van Thiry. Die sprong lenig weg en probeerde Yvar over zijn knie te werpen. Yvar struikelde bijna, maar kon nog net overeind blijven. Hij hijgde en vloekte. Thiry stormde weer op Yvar af, greep hem bliksemsnel bij de heup en draaide hem een kwartslag om, zodat Yvar met zijn rug naar Thiry gedraaid was. Thiry duwde zijn knie in de knieholte van Yvar, die op zijn knieën viel. Yvar snoof en siste, sprong op en draaide zich om.

'Vuile slaaf, ik maak je af!'

Met één hand pakte hij Thiry bij zijn heupriem en met zijn knie gaf hij hem een stoot in het kruis. Thiry sloeg voorover van de pijn. Dit was tegen de regels. De omstanders hielden hun adem in.

Freya zag de angst in Thiry's ogen. Die maakte hem razend. Met alle kracht die hij in zich had, stortte hij zich op Yvar.

Yvar viel toen Thiry zijn voet achter de zijne haakte en

hem meesleurde. Op de grond worstelden ze op leven en dood met elkaar. Er waren geen regels meer. Yvar beukte met zijn vuist in het gezicht van Thiry, dat hevig bloedde. Het gevecht was beslist, want Yvar lag met zijn rug op de grond. Toch bleef hij slaan.

De scheidsrechter deed niets en de vikingen moedigden Yvar aan.

Nu kwam Freya tussenbeide.

'Voor een pels?!' schreeuwde ze boven het geroep uit en ze spuwde op de grond.

Thiry liet Yvar los. Ze konden niet meer. Maar nog wilde Yvar het niet opgeven. Hij kon onmogelijk verliezen van een Frank.

Plots werd er gegild.

De beer brak los. Was dat niet Gunnulf bij de palen waar het dier vastgebonden was?

De vrouwen grepen hun kinderen en vluchtten naar de huizen. Enkele mannen hadden hun dolk in de hand.

De beer rende blindelings weg. Hij wist niet waarheen.

Thiry was te verbluft om te reageren. Yvar liep naar de beer. In zijn handen fonkelde zijn nieuwe dolk.

De beer kon geen kant meer op. Hij wiegde zijn zware kop van links naar rechts. Overal om hem heen dolken. Geen van de mannen probeerde het dier te vangen of ermee te worstelen. Yvar kwam dichterbij. De beer ging niet op zijn poten staan zoals bij het worstelen. En hij had

61

de leren beschermers niet om zijn klauwen. De muilkorf had hij wel om.

Freya hield de adem in. Ze wist wat er zou gebeuren. De beer zou zich, verlamd van angst, laten afslachten. Yvar had niets te vrezen.

'Kraa kraa kraa!' kraste een kraai ergens boven hun hoofden. De beer was afgeleid. Zijn nek was onbeschermd. Yvar stak toe. In de halsslagader en meteen daarop in een oog. De beer tolde in het rond. Andere mannen plantten hun dolken en zwaarden in zijn lijf. Het duurde niet lang. De beer bloedde leeg, stuiptrekkend op de grond.

Freya keek naar de doffe glans in het oog dat niet geraakt was. 'Freya,' knipperde dat oog voor het licht eruit weggleed.

Yvar draaide zich om naar Thiry. 'Hier, nog een pels voor je vader.'

'Dit is zonde,' fluisterde Thiry. Niemand van de omstanders verstond wat hij zei. Freya wel.

'Scheer je weg,' zei Yvar. 'Walpurgisnacht begint. Op de vooravond van mei willen we geen pottenkijkers in ons dorp.'

Thiry keek radeloos naar Lianne en van haar naar Freya. Freya knikte ongerust.

Thiry vertrok met lege handen.

'Lafaard!' riep Yvar hem nog na.

Lianne droeg de pelzen en maakte zich uit de voeten

naar het langhuis. Zij moest de berkentakken voor de drempels leggen. Ze moest de toortsen van rozemarijn en jeneverbes laten branden om de boze geesten van de nacht te verdrijven. Freya liep haar achterna. Achter haar werd de dode beer afgevoerd. Het feest ging verder. Yvar was de held van de dag.

In het langhuis hing een opruiende sfeer. De mannen praatten hard en vijandig.

'Rollo Gangerolf laat zich dopen, op de zondag van het Licht in de kerk van Rouen. Het nieuws verspreidt zich als een lopend vuur,' zei Harald Dubbelzwaard. 'De wind geeft het over het gras door. Het zou me niet verwonderen als jouw slaven het eerder wisten dan jij, Thorolf.'

Harald keek veelbetekenend naar Lianne, die de huiden op een stapel bij Freya's slaapbank gooide.

'Ze zal geen woord verspreiden van wat in dit huis gezegd wordt,' stond Frigga borg voor haar slavin. Frigga keek waarschuwend in Freya's richting. Het spreekverbod gold ook voor haar.

Freya's hart bonsde in haar keel. Rollo Gangerolf liet zich dopen. Thiry had de waarheid gesproken!

'Heeft Rollo ons dan verraden?' vroeg Thorolf slim.

Harald reageerde bruusk: 'Het is geen verraad. Rollo is geslepen. Als hij eenmaal de macht over Noormannenland heeft, kan hij zijn gang gaan, zonder tussenkomst van Karel de Eenvoudige.'

'Ik vreesde het al,' antwoordde Thorolf. 'Zal ik Frigga vragen de runen voor ons te gooien? Zij ziet alles wat komen gaat.'

'Ik kwam het nieuws melden, mijn beste Thorolf. En ik hoopte stiekem dat je vrouw de runen zou raadplegen,' gaf Harald toe.

Frigga voltrok de rituelen en gooide de runen.

'Wat zijn de gefluisterde geheimen van de runen?' vroeg jarl Varangr de Zeeman ongeduldig.

'De rune Thurisaz,' zoemde Frigga met haar zienerstem. 'De god Thor zelf vraagt om geen risico's te nemen bij moeilijkheden. Geen overhaaste beslissingen, zegt Thor. Met evenwicht en geduld beschermt hij ons. Hij brengt orde in de chaos.'

De mannen knikten. Zo kenden ze Thor.

'Ehwaz, de rune van het paard en de ruiter. Liefde en samenwerking. En hier, Mannaz.' Frigga keek even op en zocht de ogen van Freya. 'Een sterke combinatie. De namen van de Noormannen en de Franken zullen verbonden zijn in één land,' zei Frigga.

Freya dacht aan de twee namen op de steen bij de vogelrots.

Wat zei modir? Spraken de runen over haar, over Freya?

'Tja,' mompelde Thorolf, 'we blijven hier. Ik denk niet

dat we ooit terugkeren naar het Noorden. Niet zolang Rollo koning is van Noormannenland.'

'De Deense koning is ook gekerstend,' zei Varangr de Zeeman.

'We gaan een verbintenis aan met elkaar,' besloot Frigga. Ze raapte haar stenen op. 'Alleen de Nornen spinnen de draden aan de bron van Urd.'

'Nooit!' protesteerde Harald.

'Aan de wijsheid van de runen ontsnap je niet, Harald! Dat heb ik ondertussen wel geleerd,' steunde Thorolf de voorspelling van zijn vrouw.

'Je moet erin geloven,' zei Freya ineens. Ze schrok van de woorden. Alsof een andere stem door haar keel naar buiten drong. Het was nu muisstil in het huis van haar vader.

'Vreemd kind,' mompelde Thorolf.

Lianne kletterde met de kommen. Thorolf keek geërgerd.

'Morgen begint Frigga's dag, uitgerekend op de eerste dag van mei. En Frigga's dag is uitgerekend de dag van de dood van hun godszoon. Ik verkoop morgen de vroegvis in de dorpen,' zei Thorolf. 'Laat ze hun vis. Wij worden er ook beter van. En wat zou je denken van een spelletje henefatafl? Vorige keer heb je me verslagen. Wedden dat het je deze keer niet lukt?'

'Laten we naar buiten gaan en de machten van Walpurgisnacht over ons heen roepen. Moge Thor ons beschermen,' stelde jarl Björn van Bessin voor.

'Er is inderdaad geen reden tot paniek,' stemde Thorolf met hem in. 'En er is eten en drinken in overvloed voor iedereen. De Ting gaat verder, zoals gepland.'

Walpurgisnacht zou gaan beginnen. De vuren laaiden hoog op. Daar vloog de kraai in de nog blauwe lucht, tegen het grijs van de donkerende avond.

Freya hoorde het dreunen van de golven, het rollen van de keien, het bonzen van haar hart. Ze haalde diep adem en begon te dansen. Om de houten totem met de kleurige wimpels van vlas. Alleen. Eerst langzaam, voelen hoe haar lichaam trilde. Toen voelde ze zich lichter worden en haar armen wiekten vanzelf naar de lucht. Haar lichaam wilde golven tussen Asgard en Midgard. Freya slingerde zich nu onder de kleurige wimpels in een snelle werveling. Ze hoorde haar adem ruisen als een oceaan.

Dans, Freya,
dans het wiel van de zon,
de vlucht van de valk,
de eerste stappen van het lam,
de dans van het vuur.

Alle vikingen klapten in hun handen op het ritme. Iemand vond een trom, een ander pakte een houten fluit. Vrouwen en mannen dansten mee volgens hun eigen ritme.

Plots werd Freya zich bewust van de dansende mensen om haar heen. Ze lachte. Haar dans bracht dans voort. Zoals een golf golven voortbrengt. Ze dacht aan de gebeurtenissen van de voorbije dag. Er was zoveel gebeurd. Thiry was vertrokken zonder kruiden voor zijn zieke vader.

Tegen de ochtend, bij het eerste hanengekraai, legde iedereen zich te slapen waar hij of zij een slaapplaats vond.

Freya lag nog lang wakker op haar slaapbank, onder de wolvenpels van Thiry. Ze luisterde naar de fluisterende stemmen van jonge paartjes onder de pelzen. Uiteindelijk sliep ze in, dicht bij haar moeder.

FRIGGA'S DAG: VRIJDAG

Modir gilde. Slaapdronken stond Freya op en ging naar de slaapbank van haar moeder. Het gebeurde wel vaker dat modir gilde in haar slaap. Nu begreep Freya waarom. Nog steeds zag modir haar verleden. Die dag dat vikingen haar dorp binnenstormden en als berserkers aan het moorden sloegen. Modir hoorde het gegrom van beren en het gehuil van wolven. Ze rook de geur van schroeiend vlees. Ze zag gedrochtelijke gezichten. Bezeten waren ze geweest, de vikingen.

Dat haar vader een van hen was geweest, kon Freya zich onmogelijk voorstellen.

'Alles in orde, modir,' stelde ze haar moeder gerust. 'We zijn in het langhuis. De vuren zijn gedoofd, het dansen is voorbij.'

'Ze waren te bloeddorstig om te zien dat wij hetzelfde bloed hadden,' mompelde modir. 'Ga weer slapen, Freya. Ik ook.'

Modir draaide zich om en zuchtte. Freya kroop onder haar wolvenhuid. Ze luisterde naar de ademende lichamen om haar heen, tot ze weer in slaap viel.

Toen Freya wakker werd, lagen de mannen te snurken op de banken. Ze hadden allemaal te veel gegist bier gedronken.

Plots werd op de hoorn geblazen. Alarm!

Thorolf, Harald en de andere mannen schrokken wakker.

'De slaven zijn gevlucht!' schreeuwde een boodschapper. Hijgend stond hij in de deuropening van het huis van Thorolf.

'Gisteren hebben ze een complot gesmeed!' brulde Harald.

'Niemand lette op hen!' tierde Varangr.

'Bij Thor en Wodan en Tyw,' vloekte Thorolf en hij zocht zijn wapens.

'Ik had het kunnen weten,' zei Harald. 'Nu Rollo gekerstend wordt, denken de slaven dat ze naar hun oude geloof kunnen terugkeren. En wat moeten wij zonder slaven en zij zonder ons?'

'Harder werken,' bromde Thorolf. 'Of hen betalen voor hun werk.'

'Betalen? Waarmee?'

'Met grond. Geef ze een eigen lap grond en ze blijven.'

'Het is jouw probleem, Thorolf. Na de Ting keer ik terug naar Fécamps. Hopelijk zijn mijn slaven niet gevlucht. De goden staan je bij, vriend.'

'Ik vaar op Sattrdagr de Seine op, naar Rouen,' besloot Varangr. 'Ik wil dat doopsel niet missen. Ik blijf Rollo trouw.'

'De zaaitijd komt eraan,' merkte Frigga terloops op, toen de mannen het huis uit waren om hun manschappen de nodige bevelen te geven.

Zowel Frigga als Thorolf keken naar Lianne.

'Ik loop niet weg. Ik blijf,' zei ze.

Toen zei Thorolf iets wat Freya nooit voor mogelijk had gehouden.

'Je bent vrij om een man uit het dorp te halen en het noorderstuk voor jezelf te bewerken, in ruil voor jullie hulp bij het zaaien, het ploegen en de oogst. En nu moet ik uitvaren om de vis te snel af te zijn.' En weg was hij.

'Hij moet de mannen kalmeren,' zei Frigga. 'Het is een afleidingsmanoeuvre. Op zee hervinden ze altijd hun kalmte. Voor ze iets onbezonnens doen in de omliggende nederzettingen.'

Freya haalde opgelucht adem. Haar vader zou geen strooptochten houden in de dorpen. Hij zou geen nieuwe slaven roven. Hij hield woord. Hij zou vis brengen naar de markten op Frigga's dag. Ineens bedacht Freya dat ook zij vis kon brengen. Voor de kraai van Thiry. Eigenlijk wilde ze vissen voor Thiry. Zij was niet bang. En de kruiden wist ze ook te vinden. Wist ze maar welke ziekte de vader van Thiry getroffen had. Meidoorn kon helpen, net als kruiskruid, herderstasje en alruin. Ze stopte haar kruidenbuidel onder haar tuniek.

Als ze nu naar de kreek ging, zag ze hem misschien.

Ze was ervan overtuigd dat hij zou gaan vissen op zijn geheime plek. Vissen bezaten de genezende krachten van de zee. Met de smoes dat ze in de kreek kreeften wilde vangen, kwam ze weg.

Ze repte zich over het keienstrand naar de vogelrots. Haar grot was zoals ze die had achtergelaten. Roodbruin en droog. Een veilige plek. Een plek die ze kende. Ze volgde de klippen verderop, naar de drakentanden. Soms moest ze van steen naar steen springen, waar de rots in het water lag. Ze waagde zich ver buiten haar terrein. Tot bij de geheime plek van Thiry.

Thiry zag ze niet, maar Freya vond wel een soort vlot. Verstopt en vastgebonden tegen de rotswand. Freya geloofde dat hij zou komen. Ze waagde zich op het uiteinde van de drakenrotsen die ver in zee stonden, als een natuurlijke pier. Ze vond netten vol vis, met vlotters en zinkers. Zo viste Thiry dus. Slim. Hij zette waarschijnlijk bij nachttijd de netten uit en kwam ze de volgende ochtend ophalen, bij laagtij.

Freya zat met opgetrokken knieën bij de netten. De rots stak boven de golven uit. Ze luisterde naar de branding. Het water sloeg te pletter tegen de rots. Het water trok terug, sissend, sidderend, verslagen. Een nieuwe golf kwam aanzetten met nog meer kracht. En telkens opnieuw slingerde het water zich terug in de onmetelijke zee.

Bulderend bij elke aanval, onderdanig in de aftocht naar de diepte. Een lied.

Als ze helemaal achteromkeek, kon ze de hoge vogelrots zien. Bewoog iemand op de top? Ze merkte niet dat het water nu snel kwam opzetten. Thiry viel nergens te bespeuren. Zou ze wachten? Zou hij komen? Was hij boos op haar? Zou ze teruglopen en naar boven klimmen? En de vis in de netten dan?

Geschrokken merkte Freya dat het strand achter haar volgelopen was. Toen hoorde ze iemand haar naam schreeuwen. Boven op de klip stond Thiry.

Te laat besefte Freya dat ze niet meer weg kon.

'Freya, kom terug!'

Terug? Waar vond ze nog grond onder haar voeten en hoe hoog zou het water stijgen? Ze liet de golven over zich heen spoelen om op het kleine strookje stenen te stranden. De kraai van Thiry kwam boven haar hoofd cirkelen.

'Het vlot!' riep Thiry. 'Probeer het vlot te bereiken!'

Freya bekeek de rotswand aandachtig. Ze stond al bijna tot aan haar knieën in het water. Met een korte klim kon ze bij het vlot komen.

'Freya, doe het nu!' riep Thiry in paniek.

'Freya, Frejaja,' kraste de kraai. De lucht werd donkerder. Aanstormende wolken pakten samen boven de rotsen. De wind rukte aan de kloven en de kreken. De goden leken verdwenen. Ze hadden haar verlaten. Het water gutste uit de wolken en de golven namen een woedende aanloop. Hagel kletterde uit de lucht. De wind rukte aan het vlot. Het touw om de rots begaf het en Freya werd met het vlot in de golven geslingerd. De onderstroom zoog haar omlaag. Toen ze weer bovendreef, hoorde ze Thiry roepen.

'Freya, ik haal hulp! Hou vol!'

'Laat me niet alleen achter!' riep Freya. 'Blijf!'

Maar Thiry was al verdwenen.

Thiry was besluiteloos. Naar beneden kon hij niet. De storm zou hem van de rotsen rukken. Alleen met een boot kon hij bij Freya komen. Maar welke boot? Hij dacht koortsachtig na. Het vlot kon nog even standhouden.

De drakenschepen waren de kleine haven binnengelopen om de storm te ontwijken. De andere schepen lagen op het land bij de scheepswerf. Thiry werd al van ver opgemerkt door de wachters van het dorp. Voorbij de palissade werd hij vastgegrepen. Ketels water gutsten ondertussen uit de lucht. Het dorp was een slijkerige poel.

'Ben je alleen? Wat zoek je? Ben je een ontsnapte slaaf? Van Harald misschien? Spreek, hond!'

Thorolf was erbij komen staan. En Frigga en Lianne.

'Freya!' riep Thiry. 'Freya is in gevaar!'

'Freya is nog niet terug van de vogelrots!' gilde Frigga.

'Hoe weet je waar ze is?' bulderde Thorolf.

Een van de mannen wilde Thiry in het gezicht slaan.

'Wat heb je met haar gedaan?'

'Hou op,' zei Lianne. 'Hij is mijn broer. Luister naar hem.'

'Hoe ken jij Freya?' vroeg Frigga.

Thiry liet haar Mannaz zien. Frigga herkende de steen met de hartvorm. Ze knikte Thorolf toe. Thorolf zag in de ogen van zijn vrouw de angst die hij van haar kende.

'Freya,' kraste de zwarte kraai. Het klonk als een kreet uit de donkerste diepte.

'De dodenvogel, hij spreekt!' riep iemand ontzet.

'Het is een kraai,' schreeuwde Lianne boven de stemmen uit.

'Later,' smeekte Thiry. 'Freya kan niet meer terug. Ze is bij de drakentand, bij de laagste klippen aan het rif. Ik laat je zien waar precies.'

'Bij Thor,' vloekte Thorolf. 'Hoogwater. En storm. We slaan te pletter met dit weer.'

'Wij zijn vikingen,' steunde jarl Varangr zijn vriend. 'We hebben al voor hetere vuren gestaan.'

'Snel, de wendbaarste boot en twee sloepen!' beval Thorolf. 'Thor is met ons!'

De drakenschepen waren snel.

De kreek was helemaal onder water gelopen. De drakenrotsen in zee waren niet meer te zien. Freya klampte zich vast aan het vlot. Bij elke golf werd ze tegen de krijtrots gesmakt en meegevoerd. Af en aan, telkens opnieuw. Ze hoorde een tergend, hijgend lied.

78

Freya, laat los,
geef je over aan de zee,
zink, Freya, zink.

Ze zag het gezicht van de Norn Urd uit haar droom. En Skuld, die droevig en alziend voor zich uit staarde.

Freya wilde niet zinken. Met alle kracht die ze nog in zich had, greep ze zich vast aan het bonkende wrakhout. Haar vingers waren verkleumd en stijf. Het water was veel te koud. Kon ze maar even uitrusten ... De oceaan was onverbiddelijk.

Maar plots spatte de lucht open in duizend zonnestralen. Freya dacht dat ze een visioen had. Uitgeput hoopte ze dat het Walhalla zich voor haar zou openen en dat de Walkuren met haar naar boven zouden vliegen. Als zwarte kraaien.

Er was één kraai die ze in het tegenlicht kon zien.

'Freya, Freya,' kraste de kraai.

Thorolf viste zijn dochter uit het water en legde haar in de sloep. Hij boog zich over haar heen en wikkelde haar in pelzen.

Thorolf deed vandaag voor de tweede keer iets wat hij anders nooit deed.

Hij lachte en zei: 'Jij doet ook echt alles om de aandacht te trekken.'

Nu zag Freya de ogen van Thiry. Zijn zwarte haar tussen de verwilderde blonde lokken van de Noormannen.

Thiry had kunnen weglopen. Hij had haar in de steek kunnen laten. Hij had in het dorp zijn leven gewaagd om haar te redden. Thiry legde de steen Mannaz in haar handen.

Freya beet op haar onderlip. Nu snapte ze waarom de Gezalfde geen weerstand had geboden. Hij wilde mensen redden. Hij vond ze belangrijk. Thiry vond haar, Freya, belangrijk.

Dat hij dapper was, dat zou ze tegen haar vader zeggen. Later. Thiry zou nooit een slaaf zijn. Hij hoorde bij haar.

'Hoe wist je ...' rilde ze.

'Ik dacht dat je vis zou vangen voor mijn kraai. Ik geloofde dat je dat zou doen,' fluisterde Thiry in haar oor.

Ze had het zo koud gehad. Ze was zo bang geweest. Zo alleen. Freya huilde. Ze kreeg het er warm van.

Op de werf stonden de mensen het drakenschip op te wachten. De roeiers sprongen op de steigers. Freya trilde nog steeds op haar benen. Thiry kwam achter haar aan.

Plots dook Yvar op. Hij sprong op Thiry en duwde hem omver. De beide jongens vielen van de steiger op de keien van het strand.

'Stop, Yvar! Een gift voor een gift!' zei Freya streng. 'Zo zijn de wetten van de vikingen: trouw aan een gegeven woord. Dat is de vikingcode. En het is ook zijn code.'

Frigga knikte en begon hardop te spreken. Freya keek op naar haar moeder op de kade, boven hen. Iedereen luisterde.

'Mijn dochter Freya had een droom, en die ging als volgt. Freya was een schildvrouw. Ze droeg de mantel van de raaf, de ketting van de vier dwergen en haar schild. Wodan zelf stond achter haar en keek toe.'

Thorolf was naast zijn vrouw gaan staan. Hij luisterde gespannen.

'De twee kraaien op de schouders van Wodan keken toe. De wolven van Wodan gingen aan zijn voeten liggen en bewogen niet. Voor Freya stonden de kinderen en de moeders en vaders van Karl, de vrije boer. De zoon die de god Heimdall zelf verwekt had.'

Ondertussen waren Freya, Yvar en Thiry naar boven geklommen om naar het verhaal te luisteren. De mensen maakten plaats voor hen.

'Freya zag geen vijanden tegen wie ze zich moest beschermen. Ze zag geen moordlustige berserkers van Wodan. Wodan, de Alvader, was met haar.'

Freya schrok. Wodan was niet in haar droom voorgekomen, alleen de Nornen. Maar ze kon haar modir onmogelijk onderbreken.

'Freya zag geen draak. Ze zag de kinderen van Karl. Ze zag dat die kinderen één wens hadden: een goed leven op hun land. Ze wilden geen strijd, geen bloedvergieten, geen ziektes. Ze gooide haar schild van zich af. En toen verloor ze haar evenwicht. Ze viel. Door donker kolkend water gleed ze, in het meer naast de bron Urd. De bron van de drie Nornen aan de wortels van de levensboom Yggdrasil. Daar zaten de Nornen naast elkaar te spinnen. Aan de draad van Freya. Daar zaten de Nornen naast elkaar de runen te gooien. De runen voor Freya. Toen Freya dat zag, dacht ze dat haar tijd gekomen was. Ze verdronk bijna in het water van Urd. En toen ze bijna verdronken was, werd ze wakker in een nieuwe dag in Noormannenland. In het land van de zonen van Jarl en de zonen van Karl. Want wie kan zeggen waar Heimdall zijn zaad geplant heeft in alle landen van Midgard?'

De vikingen staarden voor zich uit. Op die vraag moesten ze het antwoord schuldig blijven.

Iedereen zweeg, ook de vikingmannen die het hardst gebruld hadden tegen Thiry.

Thorolf maakte handig gebruik van hun verwarring. 'Laat het badhuis opwarmen, een dag vroeger dan gewoonlijk. Voor Freya. Laat de Ting weer beginnen in het langhuis, voor de vikingen. Wodan staat ons bij.'

'Wodan staat ons bij,' mompelde de menigte gelaten.

Yvar wierp nog een woedende blik op Thiry, maar Thorolf stapte op zijn zoon toe en gebood hem de wettenzegger te zoeken.

'Je bent gekomen voor kruiden, hoorde ik,' sprak Thorolf daarna Thiry aan.

'Mijn vader is ziek,' zei Thiry.

'Frigga luistert naar je,' zei Thorolf. Daarmee was de zaak voor hem afgehandeld.

Thiry volgde Frigga en Lianne. Freya snelde hen achterna.

'Wodan was er niet. Of ik zag hem niet,' fluisterde Freya tegen haar moeder.

'In je droom niet,' zei Frigga vertrouwelijk. 'Maar ik zag Wodan de Alvader naast jou staan, naast het bange dappere meisje met haar schild. Een echte vikingvrouw.'

Onder haar tuniek vandaan haalde Freya het doorweekte buideltje kruiden te voorschijn en liet het aan Thiry zien.

'Ik vrees dat je hier niet veel meer aan hebt,' glimlachte ze.

'Het is goed, Freya. Ik heb de maretak die je in de wintertijd afgesneden hebt, klaargelegd voor mijn vader,' kwam Lianne tussenbeide.

'Voor jouw vader?'

Lianne knikte. 'Thiry is mijn jongere broer.'

Nu begreep Freya alles. Terwijl ze er Thiry van verdacht had stiekem iets met Lianne te hebben.

Ze zweeg en klemde haar vingers om haar steen.

Freya wachtte bij het haardvuur tot de stenen voor het zweetbad heet gestookt waren. Ze merkte de stilzwijgende verstandhouding tussen haar moeder en Lianne op.

Lianne begon nog meer kruiden te verzamelen.

'Waarom heb je me nooit verteld dat je vader ziek was? Vertrouwde je me niet?'

'Ik wilde zelf niet geloven dat hij zo ziek was … dat hij misschien op een dag …' slikte Thiry. 'Ik was het zo vaak met hem oneens … Vader ijlt.'

Thiry vertelde het meer tegen Lianne dan tegen Freya. Toen herinnerde Freya zich de gestalte achter de koestallen. Lianne had al die tijd contact gehad met Thiry! Waarschijnlijk hadden ze vaak met elkaar afgesproken. Thiry hoefde alleen maar zijn kraai te sturen …

'Hij ziet de heuvels waar hij geboren is en waar hij altijd gejaagd heeft. Toen hij zo oud was als ik … Hij is zo trots, hij zegt niet dat hij pijn heeft. Moeder en ik weten dat. En moeder zou graag willen dat Lianne naar huis komt tot het ergste voorbij is.'

'Neem de paddestoelen mee, voor als hij ijlt,' zei Frigga kalm.

'En de maretak,' zei Freya. Ze herinnerde zich hoe ze met Frigga de maretak gesneden had in het loofbos. Freya kon klimmen als geen ander. En modir ving de twijgen op. De goddelijke plant hielp bij ongeneeslijke ziekten.

'Van vader heb ik naar de dieren leren kijken. Van hem heb ik met kraaien en bomen leren praten,' vertrouwde Thiry Freya toe.

'Dat doen wij ook, Thiry. Ben jij wel een volgeling van

de Gezalfde? Of ben jij een van ons?'

'Ik vraag het me soms af, Freya,' glimlachte Thiry. 'Ik hoop …'

'Als je maar lang genoeg met hem bezig bent, krijg je wat je wilt, Thiry,' herinnerde Freya zich zijn eigen woorden.

'Ben jij nu nog niet in het badhuis?' vroeg Thorolf haar terwijl hij binnenkwam. 'Frigga, jij wordt gevraagd bij de Ting.'

'Fadir, laat Lianne gaan.' Freya stond op. Ze was bijna even groot als haar moeder, zag ze plots. 'Kijk naar modir, fadir!'

Tranen liepen over Frigga's wangen. Ze keek haar man diep in de ogen. Daar kon hij niet tegenop.

'Je bent vrij om te gaan, Lianne,' zei Thorolf tegen Frigga.

Walpurgisnacht was voorbij. Het regende niet langer. Frigga's dag begon. Uitgelaten kinderen versierden de meipaal met bloemen en meidoorntwijgen.

Freya was er niet meer zo zeker van of ze het prettig vond om de dochter van een jarl te zijn. Een viking en een Frank, dat ging niet samen. Maar ze was vastbesloten Thiry te blijven zien. Ze gaf hem de steen Mannaz. Een goede rune.

'Heb jij al een steen met de rune Berkana erop, Freya?' vroeg Frigga glimlachend. 'Dat is de rune voor vruchtbaarheid, zuivering en groei.'

85

'Waarom denk ik dat jij me straks het verhaal van Nerthus, de godin van het woud, wilt vertellen?'

'Hoe kom je erbij? Het verhaal van Nerthus, de moeder van Freya en Freyr, de zus en vrouw van de zeegod Njord?' grapte Frigga met haar verhalenstem.

'Modir?' vroeg Freya ernstig.

'Ze komt terug,' zei Frigga terwijl ze Lianne en Thiry nastaarde.

'Alleen?' vroeg Freya.

Ina Vandewijer werkte als programmamedewerker en scenarioschrijver voor de VRT. Daarna legde ze zich toe op haar eerste liefde: het schrijven van eigen verhalen. Met succes, want haar debuut, *Witte pijn*, werd dubbel bekroond met de Boekenleeuw en met de Prijs Knokke-Heist Beste Jeugdboek. Het boek werd ook genomineerd voor de literatuurprijs De Gouden Uil. Bij Afijn verscheen van haar ook *Merg en Bloed*, een ingehouden emotioneel verhaal over leven en dood.

Ina Vandewijer

MERG EN BLOED

Bij hongersnood doden de Inuit pasgeboren meisjes. Anana, de hoofdfiguur in dit verhaal, blijft leven. Zo doorbreekt haar moeder een taboe. Anana groeit alleen op. Achtergelaten. Een taboekind. Een kind zonder naam. Ze voelt zich als Nuliajuk, de godin over wie verteld wordt in een oeroude mythe.

96 pagina's gebonden
vanaf 15 jaar
ISBN 90 5933 013 7